Ma couleur
préférée

violet comme maman

Le nom de mon doudou

D0418719

Ma date
de naissance

Mon empreinte
digitale

Ma photo

Le monde merveilleux

de mes

3 ans

Ce livre est offert à

BAPTISTE

par

MAMIE JOSETTE

FLEURUS

Texte de l'histoire et de la comptine : Sophie Maraval-Hutin
Illustrations de l'histoire et de la comptine : Laurence Cleyet-Merle

Illustration de couverture :
sur une idée de Madeleine Brunelet, réalisée par Frédéric Multier

Direction artistique : Élisabeth Hebert assistée par Amélie Hosteing
N° d'édition : 12 112
ISBN : 978-2-2150-4639-4 - Code MDS : 651 101

Le monde merveilleux

de mes

3

ans

FLEURUS

Sommaire

Le monde merveilleux de mes 3 ans

Hector Mulot est un champion !

Tous les matins, Hector Mulot prend l'album-photos de la famille et monte sur les genoux de sa maman. Maman Mulot tourne les pages. Hector demande :

« C'est qui, là ? »

Maman Mulot explique :
« C'est Grand-Père Mulot. C'est lui qui a construit la maison. Et là, c'est Oncle Mulot. Il a inventé la roue à mulot, pour faire du sport à la maison.

Ils étaient très forts, comme tous les Mulot ! »

ector Mulot est fier. Il rêve :

« Moi, quand je serai grand, je serai un champion, comme tous les Mulot ! » Grande-sœur et Grand-frère Mulot éclatent de rire et disent :

« Un champion qui suce son pouce, quelle drôle d'idée ! »

Pauvre Hector Mulot !
Tout triste, il s'en va dans la forêt.

Au pied d'un gros arbre,
Hector Mulot aperçoit un écureuil :
il court sur le tronc,
saute sur les branches
et finit tout en haut
avec un beau saut périlleux.
Hector Mulot a une idée.

« Si je savais grimper aux arbres, je serais un champion.
Je serais le premier Mulot grimpant ! »

Il demande à l'écureuil :

« Monsieur l'écureuil,
comment faites-vous pour grimper ? »

L'écureuil explique :
« C'est facile, je cours, je saute,

et hop ! Le tour est joué. »

Alors Hector Mulot prend son élan.
À la une, à la deux, à la trois !

Il saute sur le tronc d'arbre et... patatras !
Il retombe sur les fesses.

Ouille, ouille, ouil'

L'écureuil éclate de rire et dit :
« Un Mulot qui veut grimper
aux arbres, quelle drôle d'idée ! »
Pauvre Hector Mulot !
Tout triste, il s'en va plus loin.

Au bord d'une rivière, Hector Mulot aperçoit une pie posée sur un rocher. Elle bat des ailes, s'envole, fait un beau looping et se pose tout en haut d'un arbre.

Hector Mulot a une idée.

« Si je savais voler comme une pie, je serais un champion. Je serais le premier Mulot volant ! »

Il demande à la pie :

« Madame la pie, comment faites-vous pour voler ? »

La pie explique :

« C'est facile, je bats des ailes, je saute !

Et hop !
Le tour est joué. »

Alors Hector Mulot prend son élan.
À la une, à la deux, à la trois ! Il bat des pattes
de toutes ses forces, saute en l'air et... patatras !
Il retombe sur le nez.

Aïe, aïe, aïe !

La pie se tord de rire et dit :

« Un Mulot qui veut voler, quelle drôle d'idée ! »

Pauvre Hector Mulot ! Tout triste, il s'en va plus loin.

Sur un rocher, Hector Mulot aperçoit une grenouille. Elle plonge dans l'eau, fait de grosses bulles et traverse la rivière à la nage. Hector Mulot a une idée.

« Si je savais nager comme une grenouille, je serais un champion. Je serais le premier Mulot nageant ! »

Il demande à la grenouille :

« Madame la grenouille, comment faites-vous pour nager ? »

La grenouille explique :

« C'est facile, je plonge, je plie les pattes, je tends les pattes,

et hop ! Le tour est joué. »

Alors Hector Mulot prend son élan.
À la une, à la deux, à la trois !
Il plonge dans l'eau, plie les pattes, tend les pattes et...

Glou glou glou, coule sous l'eau.

La grenouille va le chercher et le dépose sur le rocher. Elle s'étouffe de rire et dit :

« Un Mulot qui veut nager,
quelle drôle d'idée ! »

Pauvre Hector Mulot ! Tout triste et tout mouillé, il s'en va.

Hector Mulot s'assied sur un gros champignon et pense :

« Je ne serai jamais un champion. Dans le grand album des Mulot, on écrira que je suis le plus nul des Mulot. »

Une grosse larme roule sur sa joue.

L'écureuil, la pie et la grenouille s'approchent.

Ils se parlent dans l'oreille tous les trois.

Ils ont une grande idée.

« Tu es le plus courageux des Mulot.

Tu seras trois fois champion, promis.

Prends une grande feuille d'arbre et viens avec nous. »

Hector Mulot obéit : il attrape une belle feuille d'arbre

et suit ses amis. Ils s'installent sous un arbre immense.

La pie explique :
« Grimpe sur mon dos, petit Mulot. Mets la feuille autour de mon bec. Pour aller à droite, tire sur la droite. Pour aller à gauche, tire sur la gauche !

Accroche-toi !

À la une, à la deux, à la trois, c'est parti !

Waouh !

La pie s'envole haut, très haut dans le ciel jusqu'au milieu des nuages. Hector Mulot tire sur la droite, puis sur la gauche, fait un looping et hop, fait atterrir la pie en douceur sur la plus haute branche de l'arbre, à côté de l'écureuil.
Ils applaudissent :

« Hector Mulot,
tu es le premier Mulot pilote d'oiseau.
Tu es un champion ! »

À son tour, l'écureuil explique :

«Prends la feuille, tiens-la bien avec tes deux pattes au-dessus de ta tête et saute de la branche. »

L'écureuil ajoute :

« N'aie pas peur, Madame la grenouille t'attend en bas. »

Hector Mulot prend son élan.
À la une, à la deux, à la trois !
Et hop, il saute de la branche. Avec sa feuille en parachute,
il descend tout doucement et se pose à côté de la grenouille.
Elle applaudit :

« Hector Mulot,
tu es le premier Mulot
parachutiste.

Tu es un champion ! »

Alors, la grenouille explique :
«Viens sur la rivière avec moi. Monte sur la feuille :
d'une patte, tiens la tige. De l'autre, accroche-toi
à mon dos. »

Hop, la grenouille s'élance.
À la une, à la deux, à la trois !
Et devine quoi ? Hector Mulot fait du ski nautique !

Hector Mulot est un champion !

Bien des années plus tard, le petit-fils d'Hector Mulot feuillette le grand album des Mulot. Il demande qui est sur la plus haute marche d'un podium :

« C'est qui ça ? »

Sa maman répond :

« C'est Hector Mulot. Il a inventé un nouveau sport olympique : le triathlon à feuille. On pilote un oiseau, on saute en plein vol puis on glisse sur l'eau, avec une feuille. »

Eh oui, Hector Mulot est devenu un champion olympique !

Et sais-tu le plus drôle ?

Il suçait toujours son pouce !

La comptine du 3

Quand je serai grand,
je saurai attacher mes boutons,
conduire un camion,
et même piloter un avion.
Je ferai peur aux monstres et aux sorcières.
La nuit, je n'aurai plus besoin de lumière.
Mais aujourd'hui je suis déjà un champion,
car j'ai 3 ans, tout rond !

« 3 fois rien »

Quand tu te fais une petite égratignure,
un bleu, ou un petit bobo,
on dit que c'est 3 fois rien.
3 fois rien signifie ne pas avoir grand-chose.
Si tu n'as plus qu'un ou deux bonbons
au fond de ton paquet,
tu peux dire que, dans ce paquet,
il y a 3 fois rien.

Les jeux des p'tits animaux rigolos

Mais à qui appartient cette empreinte ?

Dans la savane, l'éléphant, le lion et le flamant rose ont laissé leur empreinte sur le sol. Retrouve les traces de pattes qui appartiennent à chaque animal.

Où se cachent les amis de Poséidon ?

Poséidon, le petit poisson,
a perdu ses amis.
Aide-le à retrouver Gaspard le homard,
Angèle la pieuvre, Hippolyte
l'hippocampe et Fleur l'étoile de mer.

Et si on s'habillait !

Les chats ont des poils, les oiseaux ont des plumes, les poissons ont des écailles.
Toi, tu es plus chanceux, car tu as des pulls, des shorts, des pantalons,
des écharpes pour t'habiller. Apprends à les reconnaître en t'amusant.

Un pantalon

Un short

Une salopette

Un blouson

Un pull

Des chaussures

Petit jeu

Les vêtements de Thomas
sont éparpillés dans sa chambre.
Aide-le à les retrouver
et nomme-les à voix haute
en t'aidant de l'imagier.

Connais-tu l'histoire
des **3** Rois mages ?
Ils ont apporté à Jésus
des cadeaux
extraordinaires.

L'or, l'encens et la myrrhe

À l'époque des Rois mages,
l'or servait de monnaie,
l'encens et la myrrhe
étaient des parfums
rares et précieux.
C'étaient des cadeaux de rois.

une fois...

Il y a très très longtemps,
Gaspard, Melchior et Balthazar,
de très grands savants, ont suivi
une nouvelle étoile.
Ils ont fait un long voyage
jusqu'à Bethléem.
Ils y ont trouvé un bébé
qui venait juste de naître.

C'était Jésus,

avec ses parents, Marie et Joseph.
Ils ont offert les plus beaux
cadeaux qui existaient en
ce temps-là :

de l'or,
de l'encens
et de la
myrrhe.

En avant, les p'tits champions !

Apprends à faire une galipette
pour être un champion
en gymnastique.

1. Mets-toi à genoux,
le bout des pieds et les mains
sur le sol et baisse la tête.

2. Pose la tête sur le sol et pousse
avec les pieds pour faire rouler
tout le corps en avant.

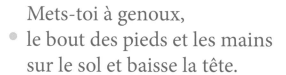

3. Tes mains toujours sur le sol,
atterris sur les fesses : ça y est,
tu es le roi des roulades.

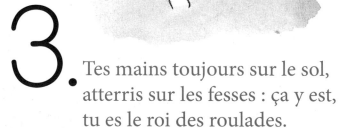

Essai marqué !

Au rugby, on prend le ballon dans ses mains, puis on court très vite pour aller le poser tout au bout du terrain.
Cela s'appelle « marquer un essai ».

Du sable dans les chaussures !

Le beach-volley se joue sur la plage, dans le sable. Il faut renvoyer le ballon de l'autre côté d'un grand filet avec les mains sans qu'il touche le sol.

Le roller

Bien assis sur une chaise, chausse ces drôles de chaussures à roues. Quand tu te relèves, fais attention de ne pas perdre l'équilibre. Avance doucement puis, quand tu te sens plus à l'aise, lance-toi ! Et gare aux bleus sur les genoux !

Premiers voyages

Attrape ton doudou, ton goûter, ton sac à dos, enfourche ton cheval et pars à la découverte de 3 pays et de leur drapeau.

Italie

Le drapeau italien est vert, blanc et rouge.
En Italie, on appelle les habitants des Italiens et les habitantes, des Italiennes.
Ils parlent l'italien et ils adorent les pâtes.
Mamma mia…

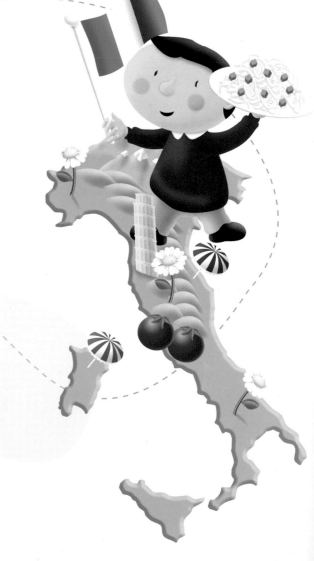

Devinette

• Sais-tu comment on appelle un enfant en Italie ?
   Un bambino
• Sais-tu comment les enfants italiens appellent leur maman ?
   Mamma

Devinette

• Sais-tu ce que sont les poupées russes ?
*Des petites poupées en bois. C'est la plus
grande qui contient toutes les autres.
Quand tu ouvres une poupée, ô surprise,
il y a une autre poupée plus petite
à l'intérieur et une autre encore
plus petite…*

Russie

Le drapeau russe est blanc, bleu et rouge.
La Russie est le plus grand pays du monde.
On y trouve un lac immense : le lac Baïkal.
Il est recouvert de glace plusieurs mois par an.

Bolivie

Le drapeau bolivien est rouge, jaune et vert.
On appelle les habitants des Boliviens
et les habitantes, des Boliviennes. On y parle
l'espagnol et une autre langue très ancienne,
le quechua.

Devinette

• Sais-tu comment les enfants
espagnols appellent
leur maman ?
Mamá
• Et leur papa ?
Papá
• Comment dit-on « Salut ! »
en espagnol ?
Hola

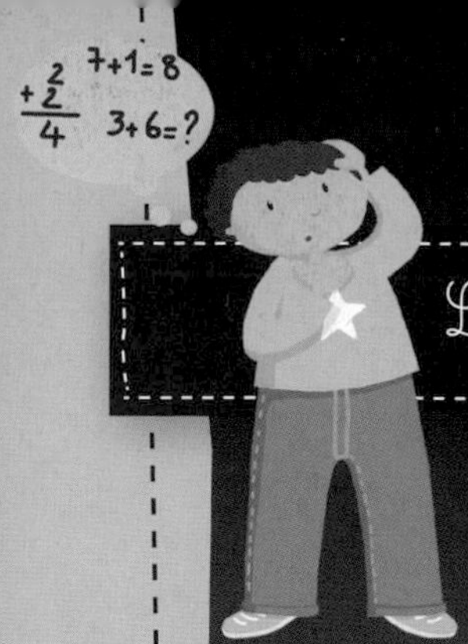

1, 2, 3...
Compte sur tes doigts !

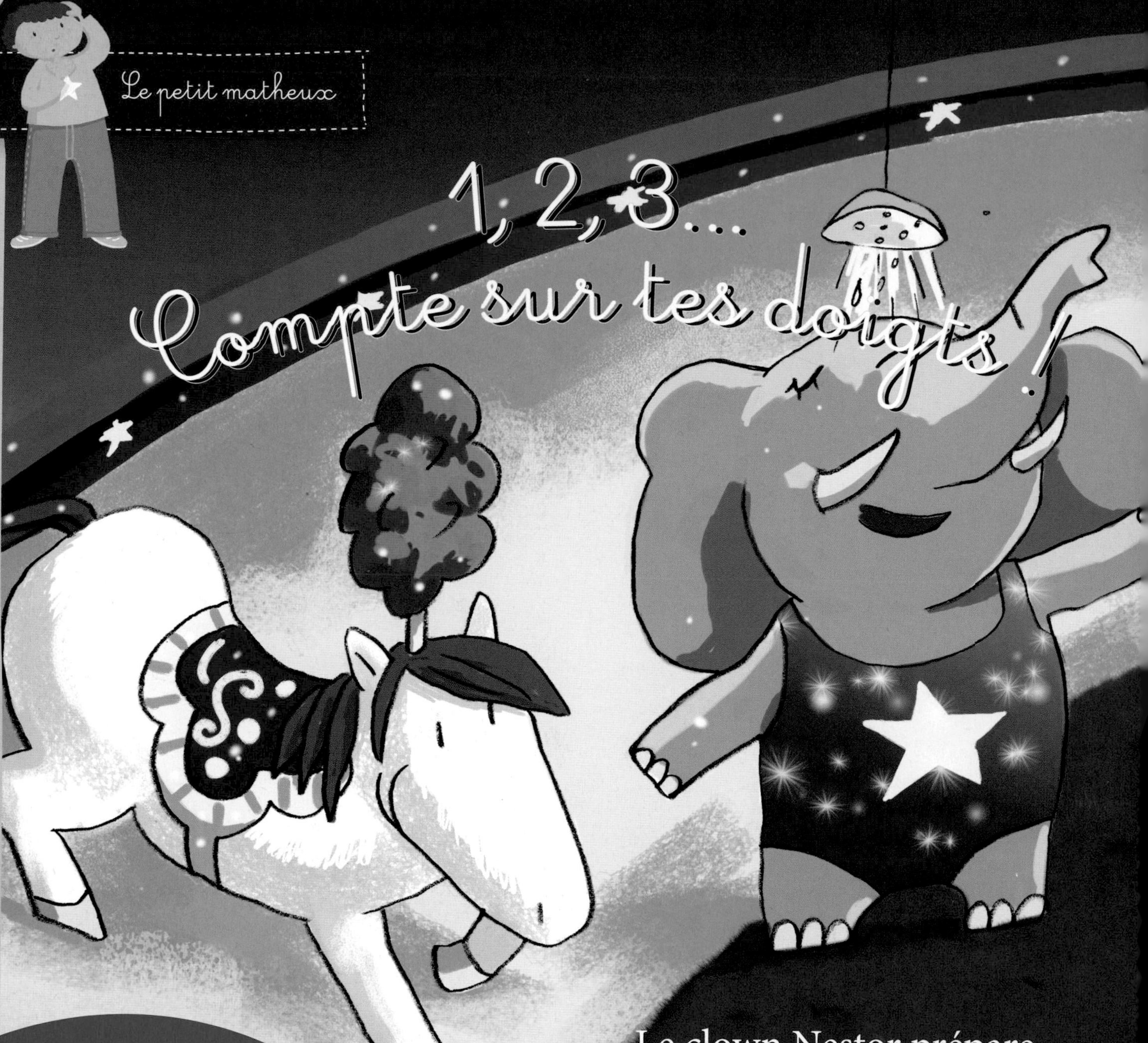

Le clown Nestor prépare
un spectacle avec tous
les animaux du cirque,
mais il doit d'abord les compter.

Et si tu l'aidais ?

Mais il est où, Monsieur Patate ?

Sauve une pomme de terre prête à passer à la casserole et apprends à réaliser un gros bonhomme avec un peu de pâte à modeler.

Pour fabriquer Monsieur Patate, il te faut :

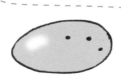

Une grosse pomme de terre

De la pâte à modeler de couleur

Des piques en bois

Des feutres

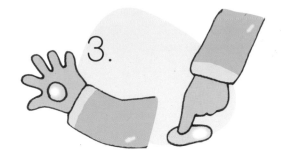

Avec des feutres de couleur,
dessine sur la pomme de terre
une bouche et des yeux.

Pour son nez ? Roule un morceau
de pâte à modeler et pique-le
entre les yeux et la bouche.

Pour ses bras ? Roule deux
morceaux de pâte à modeler
puis aplatis-les légèrement.

Pique chaque bras
de chaque côté
de la pomme de terre.

Pour ses pieds ? Prends une pâte
à modeler d'une autre couleur
et fais deux petits boudins.

Pique les deux boudins
sous la patate.

Et voilà !
Il ne reste plus qu'à faire
Madame Patate !

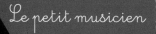

En avant la musique !

Découvre **3** instruments à taper,
à souffler, à gratter.

Le tambour ▸▸▸

Le tambour ressemble à une boîte
ronde, vide, sur laquelle du cuir est
tendu : quand tu tapes dessus avec tes
mains ou des baguettes, le cuir vibre
et cela résonne dans le tambour.

◂◂◂ La guitare

Pour jouer de la guitare, gratte
les cordes comme si un petit
bouton te démangeait.

La trompette

La trompette est un long instrument en cuivre qui brille très fort. Il faut appuyer ses lèvres sur le petit bout de l'instrument et souffler comme sur des bougies d'anniversaire. On dit que c'est un instrument à vent.

3 petits lapins coquins

Au clair de la lune,
trois petits lapins,
qui mangeaient des prunes,
comme trois coquins.
La pipe à la bouche,

le verre à la main,
en disant mesdames,
versez-nous du vin,
tout plein,
jusqu'à demain matin !

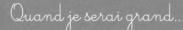

Quand je serai grand...

Croissant, camion ou râteau ?

Que feras-tu quand tu seras grand ?
Pompier, boulanger ou jardinier ?

Pompier

Le pompier est très courageux.
Il éteint des feux dans les maisons
ou les forêts et sauve les gens. Mais tu peux
aussi appeler les pompiers si ton chat
n'arrive plus à descendre de l'arbre !

Petit jeu

Devine à qui appartiennent ces objets.

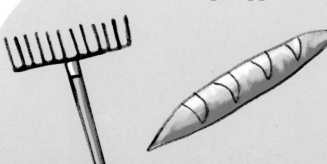

Jardinier

Le jardinier soigne les plantes
et les fleurs. Il les plante et les arrose
pour qu'elles ne fanent pas. Il enlève
les mauvaises herbes, il taille
les arbres et les buissons.

Boulanger

Le boulanger se lève très tôt
pour faire du pain. Il prépare d'abord
la pâte, puis il la met au four.
Il faut que tout soit prêt
quand les gens se réveillent !

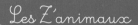

Dans la famille Chat, je voudrais...

Chez les animaux aussi, il y a un papa,
une maman et un bébé.

Mais à qui est ce bébé ?

Comment s'appelle
le bébé de la vache ?
Un veau

Le chat, la chatte et le chaton

Les chats aiment beaucoup les caresses.
Leur fourrure est noire, grise,
blanche, tigrée ou rousse.
Ils ont des poils longs, courts ou bouclés.
Ils ronronnent quand ils sont contents.

Le bélier, la brebis et l'agneau

Leur laine sert à fabriquer des pulls et des couvertures… Le lait de la brebis donne du fromage. C'est aussi avec son lait que la brebis nourrit son petit : l'agneau.

Le coq, la poule et le poussin

Le coq a une crête rouge sur la tête. Il vit dans la basse-cour et le matin, il chante « cocorico ». La poule pond des œufs. Si elle les garde bien au chaud, il en sortira des petits poussins tout jaunes.

Avec l'aide de Papa ou Maman

Les truffes au choco sont là !

Chouette !
Un dessert qui se mange avec les doigts !

1. Casse le chocolat en petits morceaux. Demande à Papa ou à Maman de couper le beurre et fais fondre le tout.

2. Mélange bien avec une grande cuillère en bois. Demande à Papa ou à Maman de séparer le blanc et le jaune d'œuf, puis ajoute le jaune d'œuf, le sucre vanillé et le sucre glace. Mélange de nouveau.

3.

Lèche la cuillère pendant que Papa ou Maman met la pâte au réfrigérateur pendant une heure.

Tic-tac, tic-tac...

4.

Lave-toi bien les mains car tu vas les mettre dans le chocolat !

5.

Saupoudre une assiette de cacao amer.

6.

Fais des petites boules avec la pâte et roule-les dans le cacao.

Ingrédients pour 20 petites truffes

– 250 g de chocolat noir
– 2 jaunes d'œufs
– 125 g de beurre

– 1 sachet de sucre vanillé
– 125 g de sucre glace
– environ 50 g de cacao amer

Les truffes sont prêtes,
il n'y a plus qu'à les manger,
mais pas toutes en même temps,
sinon tu vas avoir mal au ventre !

Oh ! C'est qui ça ? C'est moi !

Toi aussi, tu as un nez, une bouche, des bras...
Apprends les parties de ton visage
et de ton corps avec Thomas.

Thomas a la grosse tête !

Regarde bien la tête de Thomas
et montre avec ton doigt ses yeux,
sa bouche, ses oreilles et son nez.

Oh ! le p'tit bidon !

Regarde bien Thomas et désigne avec ton doigt son ventre, ses bras, ses mains, ses jambes et ses pieds.

Les 3 Petits Cochons

Connais-tu l'histoire des **3** Petits Cochons ?

L'un avait construit une maison en paille,

l'autre en bois et le dernier en briques.

Quand le grand méchant loup arriva devant

la maison en paille, il souffla et la maison s'envola.

Le petit cochon s'enfuit et se réfugia chez son frère.

Mais quand le loup arriva devant la maison en bois,

il souffla et la maison s'envola aussi.

Heureusement, les deux petits cochons

se réfugièrent chez leur dernier frère.

Quand le grand méchant loup arriva devant la maison

en briques, il eut beau souffler, la maison ne bougea

pas d'un poil. Et le loup est reparti tout essoufflé

avec sa langue qui pendait jusqu'au sol !

Frais, mes légumes !

Carottes, courgettes et pommes de terre…
Les légumes, ça se mange salé ou poivré,
avec de la viande ou du poisson.

Les carottes

La carotte est orange.
On dit qu'elle est bonne pour la santé,
qu'elle donne les joues roses, et même
qu'elle rend aimable !
Les carottes peuvent se manger de plusieurs
manières : cuites, coupées en rondelles,
en purée, râpées, en jus, en soupe.

Petit méli-mélo

Suis les fils pour voir ce que deviennent
carottes et pommes de terre dans ton assiette !
Bon appétit !

Les pommes de terre

Une pomme de terre, c'est rond ou
un peu tordu. C'est très gros ou tout petit.
On dit aussi une patate.
C'est bien plus rigolo à dire !
C'est avec les pommes de terre qu'on fait
les frites et la purée, mais on peut aussi
les manger farcies, sautées, au four…

Les courgettes

La courgette est un légume long,
vert foncé à l'extérieur et vert très clair
à l'intérieur. Mais tu peux aussi trouver
des courgettes jaunes, blanches
et même des courgettes rondes.
Les courgettes peuvent se manger
à la vapeur, farcies, en purée,
en ratatouille…

Baptiste 10/04/2013

Quand j'aurai 4 ans

Colorie comme un chef !

Quand tu auras 4 ans,
tu sauras colorier
sans dépasser.
Et si tu essayais
maintenant
en coloriant
ce joli dessin ?

Bientôt, tu auras 4 ans et tu pourras découvrir :

Vivement l'année prochaine !

Illustrations d'ouverture de rubrique :

Marianne Dupuy-Sauze

Illustrations :

Madeleine Brunelet (p. 33), Thierry Laval (pp. 34-35), Thérèse Bonté (pp. 36-37, 44-45, 50-51), Marc Lizano (p. 38), Sophie Jansem (pp. 40-41, 49, 62), Marianne Dupuy-Sauze (pp. 41, 54-55, 63), Guillaume Trannoy (pp. 42-43), Stefany Devaux (pp. 46-47) Pascal Vilcollet (pp. 52-53, 59, 60), François Daniel (pp. 56-57), Amélie Hosteing (p. 62)

Crédits photographiques :

pp. 38-39, ph © The Art Archive, Italie, Pinacothèque nationale, Dagli Orti
p. 46, ph © Lionel Antoni – p. 48h, ph © Tom Main/Getty
p. 48b, ph © Karen Mason Blair/Corbis – p. 49, ph © Frithjof Hirdes/Zefa/Corbis
p. 60, ph © Maximilian Stock Ltd/Photocuisine/Corbis – p. 61h, ph © Photocuisine/ Corbis – p. 61b, ph © DK Limited/Corbis

Photogravure : Penez Édition
Achevé d'imprimer en juillet 2012 par Holinail, Chine
Dépôt légal : octobre 2006

Mes rêves
les plus grands

Le sport que
je pratique

Ma chanson
préférée

Mon premier
voyage

La blague qui me
fait le plus rire